hiwmor

PWS

hiwmor PWS

Dewi Pws

Argraffiad cyntaf: 2007

Rhif Llyfr Rhyngwladol:
ISBN: 9 780 86243 997 2

Cyhoeddwyd, argraffwyd a rhwymwyd yng Nghymru
gan Y Lolfa Cyf., Talybont, Ceredigion SY24 5AP
e-bost ylolfa@ylolfa.com
gwefan www.ylolfa.com
ffôn (01970) 832 304
ffacs 832 782

Cynnwys

CYFLWYNIAD

Sut mae mynd ati i ddisgrifio cymeriad Dewi Pws? Mae'n amhosib, gan ei fod e mor amlochrog. Ond yn un peth, mae e'n unigryw. Dim ond un a genhedlwyd (diolch i Dduw, medd rhai!). At hynna ychwanegwch ei fod e'n wirioneddol wreiddiol yn ei ddoniolwch. Yn ddiarhebol o greadigol. Yn arian byw o gymeriad sydd byth yn llonydd. Ac os, fel fi, ry'ch chi wedi bod yn ddigon ffodus i fod yn ffrind iddo, fe sylweddolwch mai Dewi yw un o'r bobol gynhesaf a charedicaf a anwyd erioed.

Credaf mai'r agosaf at lwyddo i grynhoi cymeriad Dewi yw Emyr Wyn. Mewn cyfraniad i hunangofiant Dewi, *Theleri Thŵp*, fe wna Emyr ei gymharu â chwningen Duracell, sy'n mynd ymlaen ac ymlaen heb iddo stopo byth.

Fe'i disgrifiodd hefyd fel 'rhywun nad yw'n gwybod ble mae e'n mynd na ble mae e wedi bod. Dyw e ddim yn gwybod be mae'n ei wneud. Dyw e ddim yn gwybod be mae e wedi'i wneud, gyda'r canlyniad ei fod e'n dal i wneud yr un triciau nawr ag yr oedd e ddeng mlynedd ar hugain yn ôl. Ond maen nhw'n dal yn ffresh.' Gwir bob gair.

Ond dyma frawddeg allweddol Emyr Wyn, 'Dewi hefyd yw'r gŵr delfrydol na chafodd ein gwragedd. Mae'n eu swyno nhw i gyd. Ei enw ar Siwan yw'r Santes Siwan. Felly hefyd gwragedd fy ffrindiau, y Santes Margaret, ac yn y blaen. Ond y gwir amdani yw mai'r unig fenyw sy'n haeddu'r fath ddisgrifiad yw ei wraig ei hun, Rhiannon. Y Santes Rhiannon ddyle hi fod am ei odde a'i ddiodde fe gymaint.'

Fel gŵr Jên, gallaf ategu sylw Emyr gant y cant. Ac er i Dewi chwarae'r triciau rhyfeddaf arni – ac er ei bod hi'n gwybod y bydd hi'n destun llawer mwy o'i driciau – mae hi'n dal i'w addoli.

Mae yna ddwsinau o achosion y gallwn eu rhestru. Dyna i chi'r alwad ffôn honno a dderbyniais oddi wrth Siân Wheldon. Roedden ni newydd symud i gartref newydd. 'Helô!' medde Siân. 'Rwy'n dod i aros gyda chi am chwe wythnos.'

'Dynes bowld,' medde fi wrth 'yn hunan. 'Nid gofyn,

ond dweud.' Ac yna dyma feddwl iddi hi a Jên wneud trefniadau heb i mi wybod amdanyn nhw. Ond na, wyddai honno ddim byd am y peth.

Fe gyrhaeddodd Siân ar fore dydd Llun, yn cario tri bag enfawr. Llwyddais i lusgo rheiny i'w llofft. Ac yna gofynnodd Siân am gyfarfod yn y gegin. Ac yno y bu yn rhestru ei chas fwydydd a'i hoff fwydydd ar gyfer ei phrydau bwyd. Powld! Doedd y gair ddim yn dod yn agos at ei disgrifio. Aeth tridiau heibio, ac wrth iddi fwyta'i brecwast, dyma Siân yn digwydd cyfeirio at ei lwc, yn cael lle i aros yn ein gwesty ni, gyda phobol oedd hi'n eu nabod. A dyna pryd ddisgynnodd y geiniog ddiarhebol. Roedd hi wedi digwydd sôn wrth ffrind ei bod hi'n chwilio am le mewn gwesty yn Aberystwyth, ac roedd hwnnw wedi dweud wrthi fod Jên a finne newydd agor gwesty yn y dre. Pwy oedd y ffrind? Does dim angen dweud, oes 'na? A Siân, druan, â'i hwyneb yn fflamgoch gan embaras.

A dyma i chi gyngor buddiol. Peidiwch byth â gofyn i Dewi i ymddwyn yn dda. Un prynhawn, ac yntau'n treulio ychydig ddyddiau gyda ni, dyma Jên yn digwydd dweud wrtho y byddai cynrychiolwyr o Ysgol

Sul y Morfa'n galw'r noson honno i drafod rhaglen y flwyddyn. A dyma hi'n erfyn arno fe i ymddwyn yn gymwys. Fe addawodd wneud hynny. Fe gyrhaeddodd y bobl barchus, a Dewi wedi diflannu i'w lofft i ddarllen. Yna, ar ganol sgwrs â'r ymwelwyr, dyma Jên yn clywed chwibanu ar y grisiau. Ie, Dewi oedd yno. Cerddodd i mewn i'r gegin yn cario gwydr gwag. Llenwodd y gwydr yn y sinc a throdd at yr ymwelwyr llygadrwth.

'O, helô!' medde fe. 'Chi'n dal yma, odych chi?'

Ac allan ag e, ac i fyny'r grisiau o'r golwg yn ddidaro. Nawr, doedd e ddim yn noeth. Ddim yn hollol. Roedd e'n gwisgo un hosan ddu. Ond ddim am ei droed.

Ac un arall, y cast clasurol a chwaraeodd ar Jac y ci, druan. Roedd Dewi wedi bod gyda ni'n aros. Erbyn hyn roedd e wedi gadael, a finne wedi mynd fyny'r dre i bostio llythyr, a Jac gyda fi ar dennyn. Ger y Swyddfa Bost fe wnes i oedi i siarad â ffrind, a Jac yn hepian ar y pafin, yn gorwedd ar ei gefn a'i fol yn wyneb haul a llygad goleuni. Fe sylwes i fod pobol yn edrych braidd yn od. Ac yna dyma weld pam. Roedd siâp saeth wedi'i llunio mewn inc ffelt tip gwyrdd ar fol Jac, a honno'n pwyntio at ran arbennig o'i abdomen. Ac uwchlaw'r saeth roedd geiriau yn ysgrifenedig, sef 'Wili Jac'!

Ble bynnag yr aiff Dewi, mae e'n siŵr o wneud ffrindiau newydd. Ychydig dros ddwy flynedd yn ôl, fe symudodd e a Rhiannon i fyw i Dresaith. Cyn pen dim roedd Dewi'n aelod o'r tîm Talwrn y Beirdd lleol. A dyma i chi enghraifft arall o'i wit sydyn. Aelod arall o'r tîm yw Idris Reynolds. Mae Idris yn ysgolhaig disglair ac yn Fardd Cadeiriol Cenedlaethol (ddwywaith). Un noson dyma Dewi'n gofyn i Idris, 'Ti'n dod mas am beint heno?'

'Alla i ddim,' medde Idris, 'mae gen i wersi dysgu Cymraeg.'

'Diawl,' medde Dewi, 'sdim isie rheiny arnat ti. A gweud y gwir, ma Cwmrâg itha da gen ti!'

Cyw o frid yw Dewi. Fedrai neb sy'n fab i Ray Morris beidio â bod yn ddoniol. Ac roedd gan ei dad, Glan, ei hiwmor unigryw ei hun hefyd. Pleser fu mynd ati i gasglu cerddi doniol a jôcs Dewi. Gobeithio y gwnewch chi chwerthin cymaint wrth eu darllen ag y gwnes i wrth eu cofnodi.

Lyn Ebenezer

HEN BETHE

O, na fyddai'n ddoe o hyd,
A'r wlad yn llawn hen bethe'r byd,
Marblis mewn poteli pop,
A Mrs Jones yn cadw'r siop.

Swllt a grot am beint o gwrw,
A dim jiwc-bocs i gadw twrw,
Llysie Mam-gu o'r ardd yn llawn o flas.
Bwyta tu fewn a'r tŷ bach tu fas.

Ffags am swllt mewn pac o bump,
A newid nôl 'da'r siocled,
Poteli llath wedi rhewi'n gorn,
A'u coronau'n hufen caled.

Cariad cynta, gwasgu'n dynn.
Sherbet drops, a baw ci'n wyn,
Plismyn hen, nid crwts mewn glas.
Lladd y gwair a chodi tas.

D.J. yn ei het, a'i sbectol ar dân.
Steddfod heb fwd. Mwstash Pontshân.
Ceffyl a chert y boi rag a bôns.
Trip Ysgol Sul a nofio mewn trôns.

Casglu'r genhadaeth, a Duw cariad yw.
Gobstopyrs anferth yn newid eu lliw.
Y tegell yn tasgu. Gwneud tost o flaen tân.
Tad-cu a'r diaconied yn dwblu y gân.

Papur bloto, Meccano,
Band of Hope, *Cymru'r Plant.*
Inc ar eich dwylo
Yn pallu dod bant.

Ogle mothbôls ar y siwt dy' Sul.
Cloch y fan hufen iâ.
Cael sioc bod Siân drws nesa
Wedi dechre gwisgo bra.

Galw Gari Tryfan.
Garglo â TCP.
Sylweddoli'n sydyn
Mai hen beth ydw i.

Y BYD ADDYSGOL

Roedd 'na fachan canol oed a benderfynodd fynd nôl i'r coleg i astudio am radd. Fe ystyriodd bob math o golegau, Coleg Ffiseg, Coleg Cymdeithaseg, Coleg Seicoleg. Ac yna fe welodd goleg nad oedd e wedi clywed amdano fe erioed o'r blân, Coleg Tybio. Fe aeth i mewn a gofyn i'r Deon i esbonio wrtho fe beth o'dd ystyr Coleg Tybio. A dyma'r Deon yn esbonio eu bod nhw wedi troi Tybio i fod yn gelfyddyd. Ond do'dd y bachan ddim yn deall o hyd. A dyma'r Deon yn rhoi enghraifft iddo fe.

'Nawr te, rwy'n tybio fod ganddoch chi gi?'

'Oes,' medde'r dyn.

'Ac rwy'n tybio fod ganddoch chi ardd iddo fe chware ynddi?'

'Wel oes, mae gen i ardd ar 'i gyfer.'

'Iawn. Os oes ganddoch chi ardd, rwy'n tybio fod ganddoch chi dŷ?'

'Wel oes, mae gen i dŷ.'

'Nawr, gan fod ganddoch chi gi, gardd a thŷ, rwy'n tybio fod ganddoch chi wraig?'

Roedd y dyn wedi'i synnu erbyn hyn. 'Wel oes, mae gen i wraig.'

'A chan fod ganddoch chi wraig, rwy'n tybio nad y'ch chi'n hoyw?'

'Nadw, dw i ddim yn hoyw.'

'Wel, dyna chi,' medde'r Deon. 'Gan gychwyn

gyda'r ffaith syml fod ganddoch chi gi, rwy wedi llwyddo i dybio fod ganddoch chi ardd, tŷ a gwraig, ac nad ydych chi'n hoyw.'

Fe ymunodd y dyn â'r Coleg Tybio ac ymhen tair wythnos, wrth iddo fe ddisgwyl am 'i ddarlithydd, fe welodd e rywun dieithr yn y neuadd. Fe aeth ato fe, a gofynnodd a alle fe'i helpu?

'Medrwch,' medde'r dieithryn. 'Beth yw Coleg Tybio?'

'O,' medde'r myfyriwr, 'mae'r coleg hwn wedi troi Tybio i fod yn gelfyddyd.'

'Dw i'n dal ddim yn deall.'

'Iawn,' medde'r myfyriwr. 'Gadewch i fi roi enghraifft i chi. Oes ganddoch chi gi?'

'Nag oes,' atebodd y dieithryn.

'Aha!' medde'r myfyriwr. 'Mae'n rhaid, felly, eich bod chi'n bwff!'

⋆ ⋆ ⋆

O'dd y bachan 'ma newydd raddio mewn Astudiaethe Cyfryngol yn Aber, a wedi ca'l 'i jobyn cynta mewn swyddfa theatr. Fe roddodd y rheolwr frwsh llawr yn 'i law e a gweud 'tho fe am ddechre brwsio.

'Hei, gan bwyll,' medde'r bachan yn bwysig. 'Wi'n dal gradd Prifysgol Cymru, Aberystwyth mewn Astudiaethau Cyfryngol. Shwt y'ch chi'n disgwl bo fi'n brwsio'r llawr?'

'Diawl, ma'n ddrwg 'da fi,' medde'r rheolwr. 'Fe alwa i ar rywun nawr i dy ddysgu di shwt ma 'i neud e.'

* * *

Fe aeth y fenyw yma at brifathro'r ysgol gyda'i mab i ofyn shwd oedd y crwt yn dod mlân yn ei wersi. 'Dim yn ddrwg,' medde'r prifathro. 'Ond dyw e ddim yn dda iawn yn y gwersi hanes.'

'Dim rhyfedd,' medde hi. 'Chi'n gofyn cwestiyne iddo fe am bethe ddigwyddodd ymhell cyn iddo fe ga'l 'i eni.'

CWYN TYWYSOG CYMRU

Ar Faes yr Eisteddfod ym Mynt
Fe brofais i Welsh Nashi stynt,
Boi'n gwisgo crys T,
Ar y cefn, llun myfi,
A 'Twll Eich Tin Chi' ar y ffrynt.

Y GÊM

(Cymru–Lloegr 1999 yn Wembley)

Pan fydda i'n isel iawn a thrist,
A'r byd i gyd yn ddu,
Estynnaf am y fideo
O'r gêm ore weles i,
Cymru yn erbyn Lloegr,
A'r gelyn ar y blân,
Y cryse coch â'u penne lawr,
A'r gwynion oll ar dân.
Dim ond munud fach i fynd,
Pan ddath y bêl i Scott,
Ddeg llath o flaen ei lein ei hun,
Fe ochrgamodd fel shot.
Yna …
Nôl a mlân fel gwyfyn coch
Yn hedfan dros y llaid,
Y Saeson fel rhyw geilys clai
Yn disgyn dan ei draed.
Dros y lein, a lawr â'r bêl
Neil yn hollti'r pyst,
Tri deg dau i dri deg un,
Wel, 'na i chi Saeson trist …
Mae 'nghalon wedi codi!
Mae'n gwthio dro 'rôl tro!
Dagrau'n chwerthin lawr fy ngrudd –

Jawl, fe chwaraeai'r fideo 'to!
A 'to,
A 'to,
A 'to …

O.N. Ond erbyn Dolig nesa,
Gan Santa Clôs, wrth lwc,
Ga i arwr fideo newydd –
Yr anghymharol Hook.

FFRINDIAU DA

Roedd Dai a Meri'n ffrindie bach nêt,
Fe'n un garw a hithe'n sidêt,
Yn caru ei gilydd ag angerdd llawn
Ond â diddordebe gwahanol iawn.

I'r capel ar y Sul bob tro yr âi Meri,
Dydd Llun am beint yr âi Dai i'r Deri.
Dydd Mawrth i'r bingo yr âi hi,
Trannoeth âi e i'r clwb golff am sbri.

Merched y Wawr i Meri dydd Iau,
Lan i'r Clwb Criced bob Gwener â Dai.
Pan o'dd un tu fas o'dd y llall tu fiwn
Ond y ddau bob tro yn canu'r un tiwn.

Ond, un dydd Sadwrn, fe glywodd y stryd
Danchwa anferth a newidodd eu byd,
Y cwcyr gas wedi ffrwydro'n grac
A'u 'hwthu'n nhw mas drw' ffenest y bac.

Yno gorweddai y ddau wedi'r drwg
Yng nghanol y llwch a'r huddug a'r mwg,
A gwenodd Mrs Jones drws nesa'n ddigywilydd,
"'Na neis gweld nhw mas am change gyda'i gilydd!"

Y BYD MEDDYGOL

O'dd y bachan 'ma wedi ca'l archwiliad meddygol, a fe gadd e'i alw nôl i ga'l gair â'r doctor am y canlyniade.

'Mae gen i newyddion drwg a newyddion drwg iawn,' medde'r doctor.

'Dere â'r newyddion drwg yn gynta,' medde'r bachan.

'Iawn,' medde'r doctor, 'dim ond peder awr ar hugen sydd gen ti ar ôl i fyw.'

'Beth?' medde'r bachan. 'Dim ond peder awr ar hugen sy' gyda fi i fyw? A ma gen ti newyddion gwath i ddod? Beth alle fod yn wath na 'na?'

'Wel,' medde'r doctor, 'fe fues i'n treio dy ffono di drwy'r dydd ddoe i weud wrthot ti.'

* * *

Roedd bachan arall gyda'r doctor. Yr un doctor. Ac ro'dd hwn yn cael trafferth gyda'i bledren.

'Odych chi'n ca'l problem wrth basio dŵr?' gofynnodd y doctor.

'Nadw,' medde'r bachan, 'ond rwy'n dueddol o deimlo'n benysgafn bob tro rwy'n croesi Pont Trefechan.'

* * *

Roedd y bachan yma ar 'i wely angau. A dyma fe'n gwynto pice ar y ma'n. A dyma fe'n meddwl fod ei wraig e wedi eu gwneud nhw iddo fe fel rhyw ffafr fach, ac yntau mor wael. Roedd y gwynt mor hyfryd fel iddo fe lusgo'i hunan mas o'r gwely, mynd ar ei draed a'i ddwylo ar hyd y llawr, lawr y stâr ac i mewn i'r gegin. Fe wnaeth e ymestyn lan at y ford a rhoi ei law ar un o'r pice. A dyma lwy bren yn disgyn ar 'i law e a llais 'i wraig e'n gweud, 'Hei! Cer o 'ma. Ar gyfer yr angladd ma rheina!'

* * *

Ro'dd y fenyw 'ma ar ei gwely ange, â'i gŵr yn cydio yn ei llaw hi.

'John,' medde hi, 'gan fy mod i ar fin cwrdd â'm creawdwr, mae gen i rywbeth i weud wrthot ti.'

'Na, na,' medde'r gŵr, 'anghofia am unrhyw beth drwg wnest ti. Ma popeth wedi'i faddau erbyn hyn.'

'Na, na, John. Rwy wedi cario'r baich euogrwydd 'ma ers blynyddodd. Fe fues i'n anffyddlon i ti. Fe gysges i unwaith gyda Dai, dy ffrind gore di. Mae'n ddrwg gen i.'

'Iawn,' medde John, 'wi'n gwbod y cyfan. Pam wyt ti'n meddwl bo fi wedi rhoi arsenic ar dy gorn fflêcs di?'

* * *

Bachan ifanc yn gofyn i'w fam-gu. 'Odych chi wedi gweld 'y nhablets i?'

'Shwd rai y'n nhw?' gofynnodd mam-gu.

'O,' medde fe, 'mae'r llythrennau LSD ar y bocs.'

'Twll tin dy dabledi di,' medde'r fam-gu. 'Wyt ti wedi gweld y dreigie sy'n y gegin?'

⋆ ⋆ ⋆

Fe aeth y fenyw 'ma at y doctor a gofyn am fronne mwy o faint. A dyma'r doctor yn gweud wrthi am gymryd darne o bapur toilet a'u rhwbio nhw rhwng 'i bronne'n rheolaidd.

'Wnaiff hynna roi bronne mwy o faint i fi?' gofynnodd hi.

'Wel,' medde'r doctor, 'edrych be mae e wedi neud i seis dy din di.'

⋆ ⋆ ⋆

Fe a'th yr hen foi 'ma oedd yn 90 oed i gael archwiliad gyda'r doctor. Ac fe a'th 'i wraig e gydag e. Ac ar ôl ei archwilio fe'n fanwl, dyma'r doctor yn gweud, 'Ry'ch chi mewn iechyd da iawn. Shwd y'ch chi'n para'n ddyn mor iach?'

A'r hen foi'n ateb, 'I Dduw mae'r diolch. Bob bore pan fydda i'n dihuno a mynd i'r toilet, ma Duw yn switsho'r golau mlân i fi. A phan fydda i wedi gorffen, mae e'n 'i switsho fe bant wedyn.'

'Mae hynna'n rhyfeddod!' medde'r doctor.

'Nad yw,' medde gwraig yr hen foi. 'Mae'r hen fochyn yn piso yn y ffridj bob bore.'

★ ★ ★

O'dd Wil o Dreboth yn ward yr henoed yn Ysbyty Treforys a fe alwodd gweithiwr cymdeithasol i'w weld e. Fe sylwodd hwnnw fod Wil yn driblo, a fe blygodd e drosto fe er mwyn sychu 'i geg e. Wrth neud hynny fe sylwodd e fod pentwr o gnau almond ar y cabinet wrth ochor y gwely.

'Jiw, 'na lwcus,' medde'r dyn. 'Ble gest ti rheina?'

'Fe ges i rheina fel presant gyda Meri drws nesa,' medde Wil. 'Fe alli di'u ca'l nhw. Wi ddim yn lico almonds.'

'Diolch yn fowr,' medde'r dyn, gan ddechre'u bwyta nhw. 'Ond peth od 'i bod hi wedi dod â chnau i chi, a chithe heb ddannedd.'

'Na, dim o gwbwl,' medde Wil. 'Pan ges i nhw, ro'dd siocled drostyn nhw.'

★ ★ ★

LIMRIGAU

Wi'n sâl yn ysbyty Nantgarw
Yn teimlo yn wan ac yn arw,
  Mae'n llygaid ar gau,
  Mae 'nghorff fel y clai,
O sori, wi jest wedi marw.

Aeth canibal mas i Bombê
Gyda'i gymar am bryd amser te,
  Ond o'dd y caffi mor wael
  Do'dd dim bwyd i'w gael,
Fe fytodd e'i wraig e yn lle.

Anlwcus o'dd y boi o Dresaith
A'th i'r Hilton am swper 'rôl gwaith,
  Ordrodd dri After Eight
  Ond, myn yffarn, tŵ lêt,
Buodd farw am gwarter i saith.

Fe weles beth rhyfedd un noson,
Eisteddfod i byrcs yn Nhregaron,
  Enw'r prifardd o'dd Jim,
  Bachan gwelw a slim,
Ond jawch, roedd 'na seis ar ei goron!

Fe weles beth rhyfedd un noson,
Dau ddysgwr o Sais yn ymryson;
  A sylw un wedd,
  'Can you cynga-nêdd?
My missus do say that I mus'n'.'

Roedd menyw o bentre Helygen
Yn cael *facelifts* bob dydd yn ddiangen,
  A nawr bod hi'n hen,
  Uwch ei thrwyn mae ei gên
Ac mae croen ei thin ar ei thalcen.

Fe aeth *streaker* i'r steddfod bnawn Iau
I gyngerdd côr merched Trelái,
  Medde menyw fach fain
  O'dd yn eiste'n rhes flaen,
'Mae hi fel un y gŵr, ond yn llai.'

Ro'dd hen wraig fach o ardal Nant Ffrancon
Yn druenus o wael 'da'r gwynegon;
  Wrth yrru i'r Waun
  Fel cymwynas, ath Nain
Yn gwmpeini, ac i helpu rhoi'r brêc on.

Ath Wil mas am Indian yn Sgeti,
Madras, tsilis poth a chig yeti,
    Yn y toilet am naw,
    Fe gas yffarn o fraw –
Fe glywyd y glec yng Nghilgeti.

Mae'n ffasiwn 'da'r bois dros y ffin
I glochdar yn uchel a blin;
    A dyma i chi'r trwbwl –
    Maen nhw'n gwbod y cwbwl
Ac yn siarad, gan amla, drwy'u tin.

Fe briododd Wil Tomos o Sblott
Ei gariad, a'i henw o'dd Dot,
    Dim plant am ddeng mlynedd,
    Ond yna, o'r diwedd,
Fe ddath dau bâr o dwins ar y trot.

Fe a'th bachan yn dost yn Niagara
Ar ôl llyncu *iron pills* a Viagra,
    Bob tro o'dd e'n bo'th,
    O'dd e'n swingo sha'r north,
A'i lyged e'n llenwi â dagra.

Ro'dd calon Tad-cu yn gwanhau,
Prynodd *pacemaker* rhad o Dubai.
    Nawr, bob tro mae'n rhoi cnec
    Yn y car, mae 'na glec
Ac ma dryse 'i garej e'n cau.

Ry'n ni'n gwpwl hen ffash o Drefil,
Ac mae rhai fydde'n dweud bod ni'n gul,
    Ond mae'n bywyd ni'n llawn,
    Ni'n ca'l secs bob prynhawn,
A ddwywaith ar ôl capel dydd Sul.

Roedd tenor o ardal Cwm Gwaun
Yn canu nes bo 'i lais e dan straen,
    Mewn cyngerdd yn Glais
    Fe gollodd ei lais
....????

A'th ficer o blwy Penygroes
I gyngerdd trawswisgwyr un goes,
    Gas e gymaint o hwyl
    Gyda dyn-ferch o Bŵyl,
Nawr mae'n hopan, a'i enw yw Lois.

Mewn cyngerdd yng nghapel Pant-glas
Cafwyd noson undonog, ddi-flas,
   Gan bo'r canu heb rym
   Ceid mynediad am ddim,
Ond rhaid talu pum punt i ddod mas.

Aeth nain a tad-cu o Ewenni
I gyngerdd yn Abergafenni,
   Cawsant *wife swap* reit ffein
   Gyda phâr o Bahrain –
Maen nhw'n meddwl mynd nôl eto leni.

Rwy'n briod â Royalist *keen*,
Ar ei brest ma tatŵ mawr o'r Cwîn,
   Ich Dien ar ei bol,
   Ac yn gap ar y lol
Mae siâp clustie Prins Charles ar 'i thin.

Fe weles i ddoe'r peth rhyfedda,
Prins Charles o'dd ar gefen Camilla,
   Peidiwch ca'l pethe'n rong,
   Nid 'i wraig e o'dd hon
Ond y ceffyl mae'n reido i hela.

Mae'n ffasiwn 'da Siors dros y ffin
I glochdar yn uchel a blin,
    A dyna i chi'r trwbwl,
    Mae e'n gwbod y cwbwl,
Ond gan amla yn siarad trwy'i din.

Rhy brysur i ryw gyda'ch cariad?
Wel, mae'n bryd i chi newid cyfeiriad.
    Ewch mas, prynwch hon,
    Y gwâl meicro-don,
Cewch deirawr o ryw mewn deg eiliad.

DWEUD CELWYDD

Mi af â chi i wlad y llaeth a'r mêl
Lle nad oes Sais i'w glywed a'r frenhines yw Dafydd Êl,
'Dyw plant yn ei harddegau byth yn *bored*
Ac yn falch o dafod y ddraig.
Y gwragedd yn siapus, a phob un yn hapus
Gyda'i thin draddodiadol Gymraeg,
Prins Charles yn arwain y Blaid – a'i fam
Yn Llywydd Merched y Wawr,
A Johnny Wilkins ein harwr sy'n ben
Ar ein tîm cenedlaethol ni nawr.
Lembit Opec yn troi'n fynach
Ac yn byw mewn ogof ger Sgiwen,
A fi, Dewi Pws, yn Feuryn
Yn cywiro gwaith Gerallt Lloyd Owen.
George Bush, pŵr dab, fel pwdl
Yn dilyn troed Rhodri Morgan,
Dafydd Iwan yn priodi â Thatcher
A Jonsi a'r criw ar yr organ.
Wel, dyna Gymru ddifyr 'se hon,
Un o wledydd rhyfeddaf y byd,
Ond yn ffodus jest rwdlan yr oeddwn,
Diolch byth, roedd e'n gelwydd i gyd.

BYD Y MENYWOD

Fe aeth y bachan 'ma lan i'r atig am y tro cyntaf ers sbel ac fe wnaeth e ffeindio bocs wye. Doedd dim wye yn y bocs, ond roedd ynddo fe £5,000 mewn arian. A dyma fe'n gofyn i'w wraig beth oedd yr arian 'ma? Ar unwaith, fe dorrodd hi lawr a llefen.

'Alla i ddim byw celwydd ddiwrnod yn hwy,' medde hi. 'Rwy wedi bod yn anffyddlon. Bob tro gwnes i gysgu gyda dyn arall, fe gymeres i hanner dwsin o wye'n dâl.'

'Mae hynna'n esbonio'r bocs wye,' medde'i gŵr hi, 'ond beth am yr arian?'

'O,' medde hi, 'bob tro oedd gen i ddwsin o wye, fe fyddwn i'n eu gwerthu nhw.'

Roedd y fenyw 'ma'n smwddo'i bra pan ddaeth ei gŵr hi mewn. A medde fe'n ddirmygus, 'Beth yw'r pwynt o smwddo dy fra? Does gyda ti ddim byd i roi ynddo fe.'

A hithe'n ateb, 'Dyna beth od. Dyna'r union beth sy'n mynd drwy meddwl i bob tro bydda i'n smwddo dy bants di.'

Roedd yna fenyw bert o'dd wrth ei bodd yn garddio. Ond roedd ganddi un broblem fawr. Doedd ei thomatos hi ddim yn aeddfedu. Ro'n nhw'n dal yn wyrdd. Eto i gyd, roedd tomatos y bachan drws nesa'n goch bob un. Beth oedd 'i gyfrinach e, gofynnodd?

'Does dim cyfrinach,' medde'r cymydog. 'Ddwywaith y dydd fe fydda i'n sefyll yn noeth yng nghanol y tomatos, ac maen nhw'n troi'n goch mewn embaras.'

Fe dderbyniodd y fenyw ei gyngor e, a dwywaith bob dydd fe fydde hi'n sefyll yn borcen yng nghanol ei thomatos. Fe aeth pythefnos heibio, a dyma 'i chymydog hi'n galw ac yn gofyn shwd lwc oedd hi'n ei ga'l.

'Dim lwc gyda'r tomatos,' medde hi. 'Maen nhw'n dal yn wyrdd. Ond diawch, 'sech chi'n gweld seis 'y nghiwcymbyrs i!'

* * *

Bachan yn mynd rownd y tai i gasglu arian i Fand Pres Gwauncaegurwen. A dyma fe'n cnocio ar ddrws rhyw hen wraig fach. Fe agorodd hi'r drws.

'Ie, be chi'n moyn?' medde hi.

'Wi'n casglu arian at Fand Pres Gwauncaegurwen.'

'Be wedoch chi, bach?' medde hi, â'i llaw ar ei chlust. 'Wi'n drwm 'y nghlyw, chi'n gweld.'

Dyma'r dyn yn codi ei lais. 'Wi'n casglu arian at Fand Pres Gwauncaegurwen!'

'Sori, bach,' medde'r hen wraig. 'Ond rwy'n dal

ddim yn 'ych clywed chi.'

A dyma'r bachan yn gweiddi, nes bod ei wyneb e'n biws. 'Wi'n casglu arian at Fand Pres Gwauncaegurwen!'

Ond ro'dd yr hen wraig yn dal i edrych yn ddryslyd. 'Sori, bach. Ond sdim pwynt i chi weiddi. Mae nghlyw i'n rhy wael.'

Fe roddodd y bachan y gorau iddi a throi i fynd. Ond wrth iddo fe fynd mas drwy gât yr ardd, dyma'r hen wraig yn gweud, 'Cofiwch gau'r gât wrth i chi fynd.'

Dyma'r bachan yn sibrwd yn gas, 'Twll dy din di!'

A'r hen wraig yn ei ateb e, 'A thwll tin Band Pres Gwauncaegurwen 'fyd!'

* * *

Ro'dd 'na fachan yn yfed yn y Cŵps yn Aberystwyth, ac o'dd gyda fe ddau lygad du. A dyma'r tafarnwr yn gofyn iddo fe beth o'dd wedi digwydd?

'Cwmpo mas 'da'r wraig,' medde fe. 'Fe a'th hi'n yffarn o ddadl rhyngddon ni.'

'Beth ddigwyddodd wedyn?' gofynnodd y tafarnwr.

'Wel, pan o'dd popeth drosodd, fe ddath hi draw ata i ar 'i thraed a'i dwylo.'

'Da iawn ti. Ma isie dangos pwy yw'r bos. Be wedodd hi?'

'Fe wedodd hi, "Dere mas o dan y gwely 'na nawr, neu fe gica i dy ben di mewn!"'

★ ★ ★

Hen wraig fach yn mynd am ddishgled i'r caffi yn y pentre ac yn gofyn am fyrgyr. Ro'dd drws y gegin ar agor, a fe welodd hi'r cogydd yn tynnu'i grys, gosod y cig byrgyr o dan 'i gesel, a'i wasgu fe i'w siâp.

'Ych a fi,' medde hi wrth y weityr, o'dd yn sefyll wrth 'i hymyl hi. 'Dyna i ti beth mochedd i'w neud!'

'Ie, wi'n gwbod,' medde'r weityr. 'Ond fe ddylech chi ddod mewn yma'n gynnar yn y bore i weld shwd ma fe'n gneud y donyts!'

★ ★ ★

Ro'dd 'na dri o fois o Dregaron yn pysgota ym Mwnt, ac fe dynnodd un ohonyn nhw fôr-forwyn i mewn. A dyma hi'n taro bargen â nhw. Os bydden nhw'n 'i gadel hi'n rhydd, fe wnai hi wireddu un dymuniad yr un i'r tri.

'Fe hoffen i ti ddwblu fy IQ i,' medde'r cynta.

'Iawn,' medde'r fôr-forwyn.

Yn sydyn, dyma'r boi'n dechre dyfynnu Saunders Lewis!

Dyma'r ail, o weld hyn, yn gweud, 'Wi am i ti dreblu fy IQ i.'

Yn sydyn, ro'dd e'n dyfynnu Einstein!

Fe wedodd y trydydd 'i fod e am ga'l pum gwaith yr IQ o'dd gydag e. Ond fe wedodd y fôr-forwyn wrtho fe am bwyllo, ac ailfeddwl.

'Dim o gwbwl,' medde fe. 'Os na wnei di wireddu nymuniad i, chei di ddim mynd yn rhydd.'

'Iawn,' medde'r fôr-forwyn, 'ond paid â rhoi'r bai arna i. Nawr te, mae gen ti bum gwaith mwy o IQ nag o'dd gyda ti cynt.'

Ac yn sydyn fe drodd y boi'n fenyw.

Y NEWID

Roedd Robat Pencnwc yn fachan mawr,
Yn dalach na'i wraig pan yn plygu lawr;
Un o'r bois ydoedd Robat – chwarae golff a phêl-drôd,
O'ch chi'n gwbod 'da fe o ble o'dd e'n dod.
Un diwrnod, fe sylwodd ei wraig bod e'n newid
Pan ddalodd hi fe mewn bwtîc yn Dihewyd
Wedi'i wisgo mewn blows, sodle uchel a sgert –
Gas hi yffach o sioc, ond jawl, o'dd e'n bert.

'Janet,' medde Bob yn swil,
'Ma rhwbeth 'da fi weud,
Ac er y daw fel sioc i ti,
O'r diwedd wi wedi neud.
Odw, wi wedi ca'l yr op
Gan ddoctor lan yn Panty.'
'O'dd e'n brofiad poenus?' holodd Jan.
'Na. Un snip, a Bob's your Anti.'

Mae'r foeswers sydd i'r hanes
Yn glir i bawb ei chlywed,
Sef, 'Byrbwyll iawn yw dyn bob tro,
A dyw NEWID ddim wastod yn NIWED.

BYD YR ANIFEILIAID

Roedd y fenyw yma'n berchen ar gi, ac roedd hi'n mynd ag e i bobman. Roedd y ci hyd yn oed yn gwneud y siopa iddi. Fe fydde hi'n rhoi basged rhwng ei ddannedd e a rhoi rhestr siopa yn y fasged. Fe fydde'r ci wedyn ym mynd i nôl y nwydde a'r fenyw'n talu'r siopwr unwaith y mis.

Ond fe ddaeth 'na berchennog newydd i'r siop, ac ro'dd hwn yn gwrthod rhoi slaten. O'dd e'n moyn yr arian gyda'r archeb. Felly dyma'r fenyw, yn ôl ei harfer, yn gosod yr archeb yn y fasged a'r tro hwn yn rhoi pum punt mewn pwrs yn y fasged hefyd. Fe a'th awr heibio, a dim sôn am y ci. Fe a'th y fenyw i edrych yn y siop, a doedd y perchennog newydd ddim wedi'i weld e. Ffwrdd â hi drwy'r pentre, ond dim sôn amdano fe. Yna, mewn lôn gefen fe welodd hi fe ar gefen gast. Fe dowlodd hi fwcedaid o ddŵr drostyn nhw.

'Pero!' medde hi, 'dwyt ti erioed wedi gwneud hynna o'r blaen!'

'Naddo,' medde Pero. 'Dw i erioed o'r blân wedi bod â'r arian i allu gneud.'

* * *

Roedd dwy gath yn ca'l sgwrs, ac un yn gweud wrth y llall, 'Wyt ti'n gwbod pwy yw tad dy blant di?'

'Odw, y cwrci coch o nymbyr ten. Wyt ti'n gwbod

pwy yw tad dy blant di?'

'Nadw, o'dd 'y mhen i mewn tun samwn ar y pryd.'

⋆ ⋆ ⋆

Fe aeth y bachan yma i'r sŵ ac fe ddaeth e at gaets y llew. Yno ro'dd y llew'n gorwedd yn dawel gan lyfu'i ben-ôl.

'Mae'r hen lew yma'n edrych yn ddigon dof,' medde'r ymwelydd.

'O, na,' medde gofalwr y llew. 'Hwn yw brenin y jyngl. Mae e'n un cas a ffyrnig iawn. Mae e newydd fyta Sais yn gyfan.'

'Ond,' medde'r ymwelydd, 'os yw e mor gas â hynna, pam nad yw e'n gneud dim ond llyfu 'i ben-ôl?'

'O,' medde'r gofalwr, 'ma fe'n ceisio cael gwared ar flas y Sais o'i geg.'

⋆ ⋆ ⋆

O'dd 'na drampyn yn cerdded drwy Ddinas Mawddwy, a'r tu fas i dyddyn bach gwyngalchog ro'dd dyn yn eistedd. Ro'dd y tramp wedi bod yn gwitho ar lwyfannau am flynyddodd fel taflwr llais, ond ro'dd ei lwc e mas. Ond dyma fe'n oedi gyda'r hen fachan yma er mwyn cael tipyn o hwyl.

'Mae gen ti gi pert,' medde'r tramp. 'Wyt ti'n meindio os ca i air ag e?'

'Dyw cŵn ddim yn siarad,' medde'r hen foi.

Ar hynny, dyma'r tramp yn gweud, 'Hei, gi, shwd wyt ti?'

A'r ci (drwy lais y tramp) yn ateb, 'Iawn diolch.'

Fe edrychodd yr hen foi mewn syndod. A dyma'r tramp yn gweud, 'Mae gen ti geffyl pert hefyd. Wyt ti'n meindio os ca i air gydag e?'

'Dyw ceffyle ddim yn siarad,' medde'r hen foi.

'Shwd wyt ti, geffyl?' gofynnodd y tramp.

A'r ceffyl fel petai e'n ateb, yn gweud, 'Iawn diolch. Mae hi'n fore neis, ond yw hi?'

'Wel, wel,' medde'r hen foi, 'ma'r ci a'r ceffyl 'na wedi bod gen i ers blynyddoedd. Wyddwn i ddim eu bod nhw'n gallu siarad.'

A medde'r tramp, 'Wyt ti'n meindio os ca i air â'r defed?'

A'r hen foi'n gwylltio braidd ac yn ateb, 'Na, gwell i ti beido. Ma defed yn dueddol o weud celwydd.'

TWRIO (WHILMENTAN)

Drifwr bws o'dd Defi
Yn mynd o dre i dre,
Yn gwitho hewlydd Ewrop –
O'dd Defi byth sha thre.

Briotws gyda Meri,
Croten fach luniaidd, smart,
O'dd e wedi'i cha'l miwn trwbwl
Nos Satwrn yn y mart.

Un dwrnod pan o'dd gartre,
I whilmentan a'th Defi bach
Gan ddishgwl yn nyddiadur
Ei wraig – a 'na chi strach!

O'dd hi weti catw hanes
Ei choncwests – bron sha cant –
Ie, menyw a hanner o'dd Meri
Bob tro o'dd Defi bant.

A dyma beth ddarllenws e,
Gan ddechre mynd i whysu –
Wrth raddol dod i ddeall
Nad o'dd 'i wraig e'n ffysi.

Nos Lun fe alws y ficer,
Sant yn ôl pawb yn y sir.
Dim llawer o bregeth i ddechre,
Ond jawl, ges i wasanaeth hir.

Dydd Mawrth fe ddath y sgwlyn
Gan deimlo bo fi'n thic,
Ond ar ôl gweld 'i gwricwlwm,
Yffach, fe ddysges i'n gwic!

Ro'dd e'n dda yn 'i ddaearyddieth,
A'n cemeg ni'n syfrdanol,
A phan ddath y wers gerddorieth,
Own ni'n dou'n cadw'r bît yn rhyfeddol.

Nos Fercher, ar ôl swper,
Ges i brofiad nwydus, tanbed
Yn dysgu rhythme'r gynghanedd
'Da rhyw feirniad steddfod o Lambed.

Yr oedd hi'n hir a thoddaid,
Traws fantach ar y llawr,
Fyse Prifardd ddim yn gwneud yn well –
Croes o gyswllt tan y wawr.

John y pobydd bach wnath alw whap,
Nid un mawr, fel ma'r enw'n dynodi,
Ro'dd gwres 'i ffwrn e'n ffyrnig, ond,
Taech chi'n gweld 'i fara fe'n codi!

Dydd Sadwrn, Pat y Postman,
Â'i gwdyn bron yn llawn,
Ond second clas o'dd y syrfis,
Fe adawodd am ddou y prynhawn.

Ond ddim cyn iddo egluro pam
Ar stamps, fod wyneb y Cwîn;
Ma'r rheswm yn eitha syml –
Wel, fyse chi'n fodlon llyfu 'i thin?

A dyma wthnos arall
Wedi cwpla'n hapus iawn,
A gwell i fi gwpla fan'na,
Bydd Defi nôl 'da'r prynhawn.

Fe syllodd Defi'n hollol syn
A meddwl beth i neud,
O'dd 'i wraig e am flynydde
Wedi mynd ag e am reid.

(A phawb arall yn y pentre 'ed.)

Fe gauws e'n glep y llyfyr,
Fe a'th mas a chaeodd y drws
Byth i ddychwelyd eto,
A bant ag e yn y bws.

A'r neges o'r hanes yma yw,
Os ewch chi byth i whilmentan,
Peidiwch ca'l sioc os ffeindiwch chi mas
Bod 'na fwy nag un pocer mewn pentan.

PYTIAU

Glywsoch chi am y dyn dyslecsig oedd yn addoli'r diafol?
    Fe werthodd e 'i enaid i Santa.

Sut y'ch chi'n stopo ci rhag cyfarth yn eich gardd ffrynt?
    Ewch ag e i'r ardd gefn.

Fe gwrddais i â merch y dydd o'r blaen, o'dd hi'n hanner Ffrances a hanner Tsieinî.
    Fe es i a hi adre, ac fe sugnodd hi'n londri i.

Shwd ma rhywun yn gwbod fod merch o Gaerfyrddin yn cael orgasm?
    Mae hi'n towlu 'i tships lan i'r awyr.

Roedd tair lleian yn edrych dros wal y lleiandy. A dyma'r noethlymunwr hyn yn rhedeg heibio. Fe gafodd dwy ohonyn nhw strôc. Ond ffaelodd y llall â chyrraedd!

Fe agorodd y lle sawna yma yn y dre. Fe glywodd Anti Neli am y lle. Mewn â hi, a thynnu 'i dillad bant. Pan gliriodd y stêm, fe sylweddolodd ei bod hi yn y siop tships.

Glywsoch chi am y boi wnaeth alw'i wraig yn *anthracite*?

Y rheswm oedd, os nad o'dd e'n ei phrocio hi ddwywaith y dydd, o'dd hi'n mynd mas.

Merch fach yn darllen llyfr ar ryw diogel ac yn gofyn i'w mam. 'Hei, mam, allwch chi fynd yn feichiog o gael 'anal sex'?'

'Wrth gwrs, y groten ddwl,' medde 'i mam. 'O ble ti'n meddwl ma Saeson yn dod?'

Dyma'r bachan yma'n gofyn i'w wraig weud rhywbeth a fydde'n ei wneud e'n hapus ac yn drist ar yr un pryd.

Ac ar ôl meddwl am sbel, dyma hi'n gweud, 'Mae dy bidlen di lot yn fwy nag un dy frawd.'

Ar gyfer Nadolig fe brynes i felt a bag i'r wraig.

A nawr mae'r Hoover yn gweithio lot gwell.

Fe wnes i ddarllen yn y *Times* yn ddiweddar fod gormod o alcohol yn beryg mawr. Diawch fe gododd e ofn arna i. Felly dw i ddim yn mynd i ddarllen rhagor.

Shwd y'ch chi'n troi cath yn gi?

Chi'n towlu petrol drosti, tanio matsien a'i thowlu hi ati. A mae hi'n mynd 'Wyff!'

Roedd y ferch yma o Dregaron yn y gwely, a dyma hi'n gweud wrth ei chariad,

'Paid ti â meiddio ngalw i'n hwren. Cer mas o'r gwely 'ma nawr, a cer â dy fêts gyda ti.'

HELA C'LENNIG

Fe gyrhaeddodd Ionawr y cynta,
Ac o'dd Dai heb job arbennig,
So benderfynodd e a'i fêt Wil
Fynd mas i hela calennig.

Roedd hi'n ddigon oer i rewi'r mêr,
Ond feddyliodd Dai am stynt,
Fe wisgodd fenig a sgarff a het
A'i bants e bac tw ffrynt.

A mas â nhw i oerfel
Y bore tywyll du,
A'r eira'n wyn – ac yn felyn
Lle roedd Wil wedi gwneud pi-pi.

Nawr, arian o'n nhw'i angen fwy na dim
I brynu rownd neu ddwy,
A Chicken Madras i orffen y nos –
Pwy fydde isie mwy?

Yn Heol y Bonc, rhif 32,
Daeth pishyn i'r drws mewn jyst crys,
Fe gododd llais Wil lan ddwy octef,
Ac fe dorrodd Dai mas yn chwys.

Fe roddodd hi wên a winc fach,
O'dd y ddau wedi rhewi mewn sioc,
Ac yna gafaelodd Wil yn ei gap
Ac... fe edrychodd Dai ar y cloc.

'Wel, gwell i ni fynd,' medde fe, a throi,
Ond fe gydiodd hi yn ei got
Gan sibrwd, 'Smo chi'n moyn dod mewn?'
Ac atebodd Wil hi, 'Ddim lot!'

Ond ei dynnu i mewn drwy'r drws gadd Dai,
A mewn i stafell y bac,
Ac yno fe dynnodd hi bant ei chrys,
Fe aeth Dai yn dynn ac yn slac.

'Reit,' medde hi, 'beth am dipyn o sbri?'
Ond fe glywon nhw sŵn o'r drws cefen,
'Pwy yffach sy 'na?' medde Dai, mewn panic,
'Fy ngŵr i!' A dechreuodd hi lefen.

'Ma fe'n arbenigwr mewn ymladd jiwdo,
Ac yn sics-ffwt-tŵ yn ei socs.'
Fe ddychmygodd Dai y gwele fe'i hunan
Yn gadel y lle mewn bocs.

‘Oes drws yn y bac ar gael?’ medde fe,
Gan dreio peidio swno fel poenyn,
‘Na,’ medde hi, o’r tu ôl i’r setî,
A medde Dai, ‘Wel, wi moyn un!’

Fe aeth e mas drwy’r wal fel tarw
Gan adael twll mawr ar ei ôl.
Aeth e byth mas i hela calennig ’to,
O’dd byw yn fwy saff ar y dôl.

BYD Y DYNION

Roedd Cymru'n cwrdd â Lloegr yn Stadiwm y Mileniwm, a thorf anferth yn cerdded tuag at y maes. Heibio'r castell, dyma angladd yn pasio. Wrth weld hyn, dyma ddyn, oedd yn gwisgo sgarff Cymru am ei wddw, yn tynnu ei gap coch a gwyn a sefyll yn ei unfan am ychydig eiliadau ar y pafin cyn cerdded ymlan tua'r gêm. Medde'i ffrind, 'Jawch, o'dd hynna'n beth parchus i'w neud.'

'O'dd,' medde'r bachan. 'Whare teg, mae hi wedi bod yn wraig dda i fi.'

* * *

Roedd Cymru'n whare yn erbyn Lloeger, a phob sedd yn y stadiwm yn llawn, ar wahân i un. Fe sylwodd un o fois y BBC ar y sedd wag ac fe a'th e draw, gan feddwl fod stori yno.

'Pam ma'r sedd 'ma'n wag?' gofynnodd e i foi o'dd yn eistedd yn y sedd nesa ati.

'Sedd 'y ngwraig i yw honna,' medde fe.

'Pam nad yw hi yma?' gofynnodd bachan y BBC.

'Fe fuodd hi farw'r wthnos ddwetha,' medde'r dyn.

'O, mae'n ddrwg gen i,' medde'r gohebydd. 'Ond allech chi ddim bod wedi ffeindio ffrind i gymryd 'i sedd hi?'

'Na,' medde'r dyn, 'mae'i ffrindie hi i gyd yn yr angladd.'

* * *

Roedd gŵr a gwraig wedi ysgaru, a'r ddau'n ymladd dros gael cadw'u hunig blentyn. Yn y llys fe gafodd y plentyn gyfle i weud drosto'i hunan gyda pha riant yr hoffe fe fyw.

'Dw i ddim isie byw 'da Dad,' medde fe.

'Pam?' gofynnodd y Barnwr.

'Mae e'n 'y nghuro i.'

'Hoffech chi, felly, fyw gyda'ch mam?' gofynnodd y Barnwr.

'Na,' medde'r plentyn, 'ma hi'n fy nghuro i hefyd.'

'Wel,' gofynnodd y Barnwr, 'gyda phwy hoffech chi fyw?'

'Tîm pêl-droed Wrecsam,' medde fe. 'Dyw rheiny byth yn curo neb.'

* * *

Pan fuodd John Charles farw, fe gafodd e fynd lan at Borth y Nefoedd ar unwaith. Yno ro'dd angel yn gwarchod y drws, a dyma fe'n gofyn i 'r pêl-droediwr enwog, 'Oes yna unrhyw reswm pam na ddylet ti ga'l mynd mewn i'r Nefoedd?'

'Oes,' medde John Charles. 'Un tro, fe wnes i dwyllo mewn gêm ryngwladol.'

'Rwy'n gweld,' medde'r angel. 'Beth wnest ti?'

'Wel,' medde John, 'rown i'n chware dros Gymru yn erbyn Lloeger ac fe ddefnyddies i'n llaw i daro'r bêl i mewn i rwyd y Saeson.'

'A beth oedd y sgôr ar y diwedd?' gofynnodd yr angel.

'Un i ddim i ni,' medde John.

'Wel,' medde'r angel, 'o'dd hynna ddim yn rhy ddrwg. Fe wna i dy adel di mewn.'

'Grêt!' medde John. 'Mae hynna wedi bod ar fy meddwl i ers blynyddodd. Diolch, Pedr.'

'Mae'n iawn,' medde'r angel. 'Ond gyda llaw, nid Pedr ydw i. Mae gan Pedr ddiwrnod bant heddi. Dewi Sant ydw i. Fi sy'n gwitho 'ma pan nad yw e 'ma.'

* * *

Roedd Stan a Gwyneth wedi pwdu wrth ei gilydd, a doedden nhw ddim yn siarad fawr â'i gilydd chwaith. Roedd e wedi colli galwad yn y bingo, ac wedi colli'r *snowball*, a hithau wedi digio. A nawr ro'n nhw'n paratoi i fynd i'r gwely.

'Odych chi isie dishgled o de, *Mrs Jones*?' medde fe.

'Odw, os gwelwch chi'n dda, *Mr Jones*,' medde hi. 'Wnewch chi roi rhagor o lo ar y tân fel bod e'n fyw yn y bore?'

'Iawn,' medde fe.

'Diolch, *Mr Jones*,' medde hi.

A fel'na buodd hi. Fe aethon nhw i'r gwely. A dyma hi'n teimlo rhywbeth. 'Fyddech chi cystal â thynnu'ch penelin mas o nghefen i, *Mr Jones*?' medde hi.

A medde fe, 'Nid 'y mhenelin i yw e, *Mrs Jones*.'

A hithe'n ateb, 'O, galwch fi'n Gwyneth.'

⋆ ⋆ ⋆

Roedd priodas yn ein tŷ ni, a llond y lle o berthnase wedi dod draw o'r Rhondda. Roedd y lle mor llawn, buodd rhaid i fi gysgu gydag Wncwl Arthur, a o'dd yn 92 oed a gorfod i'w wraig e, Anti Neli, gysgu lawr y stâr. Tua dau o'r gloch y bore dyma fe'n 'y nihuno i a gweud, 'Wi'n mynd lawr llawr i roid un i dy Anti Neli.'

'Ond Wncwl Arthur, chi'n 92!' medde fi.

'Wi'n gwbod,' medde fe, 'ond dyma'r tro cynta i fi deimlo awydd fel hyn ers blynyddodd.'

'Wel,' medde fi, 'fe fydde'n well i chi fynd â fi gyda chi.'

'Pam?'

'Wel, Wncwl Arthur, fy nhwlsyn i sy'n eich llaw chi!'

⋆ ⋆ ⋆

O'dd y bachan 'ma yn y gwely gyda'i wraig, ac ro'dd e'n breuddwydio'n uchel.

'O, Dilys!' medde fe. 'O, Dilys …'

A dyma hi'n ei ddihuno fe. 'Pwy yw'r Dilys 'ma ti'n gweiddi arni yn dy gwsg?'

'O,' medde fe, 'ceffyl wi wedi rhoi arian arno fe yn y Grand National.'

Bant ag e i'r gwaith y bore wedyn. Pan ddaeth e adre roedd ei ddillad e i gyd mas ar y stryd.

'Be sy'n bod?' gofynnodd.

A'i wraig yn ateb, 'Fe ffoniodd dy geffyl di bore 'ma!'

* * *

Roedd Maeres Llanwrtyd yn cael trafferth gyda cwteri'r tŷ, ac fe alwodd hi'r plymer. Fe aeth hi bant i ryw bwyllgor neu'i gilydd a'i adel e yno wrth 'i waith. Pan ddaeth hi nôl, roedd y plymer wrthi'n paratoi i adel.

'Ffeindioch chi'r broblem?' medde hi.

'Do,' medde'r plymer.

'Beth o'dd yn bod?'

'Wel, mae'ch pibau chi'n ddwy fodfedd o led,' medde fe.

'Beth sy' o'i le ar hynny?' medde hi.

A'r plymer yn ateb, 'Mae 'na rywun yn y tŷ yma sydd â thwll tin tair modfedd.'

* * *

O'dd y boi 'ma oedd yn gallu towlu ei lais, ond fe benderfynodd e fod mwy o arian i'w wneud mewn bod yn *medium*, sef drwy siarad â'r meirw. Fe alwodd y fenyw 'ma a gofyn iddo fe siarad â'i gŵr hi, oedd wedi marw bum mlynedd yn gynharach.

'Allwch chi siarad â ngŵr i?' medde hi.

'Siŵr iawn. Pum punt fydd y gost.'

'Beth petawn i'n rhoi pum punt yn ychwanegol i chi?' medde hi. 'Allech chi'i ga'l e i ymddangos yma o mlân i?'

'Na fedra,' medde fe, 'ond am ddeg punt yn ychwanegol fe alla i gael e i siarad â chi tra bo fi'n yfed glasied o ddŵr.'

★ ★ ★

Roedd bachan arall wedyn am amrywio'i arferion rhyw. Fe ofynnodd e i'w wraig a alle fe gael rhyw gyda hi ar siâp whilber. Hynny yw, fe'n dal ei choesau hi a gwthio hi, a hithe'n iwso'i dwylo i symud amboitu'r lle.

'Iawn,' medde hi, 'ond mae dwy amod.'

'Beth yw'r ddwy amod?'

'Yn gynta, paid â rhoi loes i fi.'

'Wna i ddim, wi'n addo. Ond beth yw'r ail amod?'

'Plîs, paid â ngwthio i lan heibio i tŷ mam.'

★ ★ ★

Fe alwes i yn Tesco'r dydd o'r blân, ac yn y maes parcio fe barcies i yn lle'r bobol anabal. A dyma'r warden yn gofyn i fi, 'Beth yw dy anabledd di, te?'

A finne'n ateb, 'Tourettes. Twll dy din di. Cer i'r diawl.'

★ ★ ★

Roedd y boi yma'n siopa yn Tesco, Llanelli ac fe sylwodd e ar y ferch yma'n edrych arno fe, fel petai hi'n ei nabod e. Fe aeth e draw ati a gofyn, 'Odw i'n 'ych nabod chi?'

'Falle bo chi,' medde hi. 'Wi'n credu mai chi yw tad un o mhlant i.'

'Diawch,' medde fe, 'nid chi o'dd y ferch honno es i bant gyda hi yn Llunden ar ôl parti stag, a'ch chwâr chi wedyn yn rhwbio olew drosta i ac yna fy whipio i â seleri? Jawch, noson dda o'dd honno.'

'Nage,' medde hi. 'Fi yw athrawes Gymraeg eich merch chi.'

★ ★ ★

Ro'dd y Sais yma wedi bod yn gwitho yn y Gyfnewidfa Stoc yn Llunden am bymtheg mlynedd, ac wedi ca'l llond bol ar fywyd y ddinas. Fe benderfynodd e brynu bwthyn bach ar fynydd Tregaron.

Yn ystod chwe mis o fyw yno, welodd e'r un copa walltog. Yna, un noson, dyma gnoc ar y drws. Yno ro'dd bachan mawr, barfog yn cario ffon fugail.

'Shwmai,' medde fe. 'Shanco yw'n enw i. Fi yw'ch cymydog agosa chi. Wi wedi galw i weud wrthoch chi bod parti gyda fi nos Sadwrn nesa. Meddwl o'n i y bydde chi'n leico galw draw.'

'Diolch yn fawr,' medde'r Sais. 'Chi'n garedig iawn. Ar ôl whech mis o weld neb, rwy'n barod i ga'l ychydig o sbort.'

'Iawn,' medde Shanco. 'Ond cofia di, fe fydd 'na lot fawr o yfed.'

'Dim problem,' medde'r Sais. 'Ar ôl pymtheg mlynedd gyda'r bois yn y Gyfnewidfa Stoc, fe alla i ddall 'y nghwrw.'

'Peth arall,' medde Shanco, 'fe all hi fynd yn rwff. Fe all ambell ffeit ddigwydd.'

'Dim problem,' medde'r Sais eto. 'Fe fues i'n aelod o glwb bocsio yn Llunden. Ond beth bynnag, wi'n dod mlân gyda phawb.'

'Da iawn,' medde Shanco, gan daflu winc slei at y Sais. 'Ond un peth arall. Fe all hi droi'n noson fawr o ran secs.'

'Nawr ti'n siarad!' medde'r Sais. 'Ar ôl whech mis yn byw fel mynach, mae hi'n bryd i fi ga'l tipyn o secs. Faint o'r gloch ddylwn i gyrradd?'

'O,' medde Shanco, 'pryd bynnag fynni di. Wedi'r cyfan, dim ond fi a ti fydd yno.'

DIM OND GOFYN

Pan own i yn y coleg
Yn fachan deunaw oed,
Gofynnais i Angela Davis-Dobbs
Ddod mas am wâc i'r coed.

Dim ond gofyn wnes i mewn gobeth
Ca'l cwtsh, a falle mwy,
Ond fe ddath hi â'i whâr fel shaperôn,
A o'dd hon mor fowr â dwy.

Ro'dd ei brest hi'n Ffiffti Dybl Ff,
Pen-ôl fel Tyrnyr Preis,
Ei gwisg gan Fedwen Tentej –
O'dd hi jyst fel King Kong mewn disgeis.

Fe eisteddon ni lawr ar lan afon fach,
Angela, finne a HI,
'Wi byth wedi ca'l secs o'r blân,' medde'r fowr.
'Wi'n synnu dim,' medde fi.

Ond do'dd dim i stopo Meri –
Ie, dyna o'dd enw'i whâr –
Fe dynnodd ei dillad mewn wincad,
A dyna i chi beth o'dd pâr!

(Am ei beiseps wi'n sôn, dim rheina),
O'dd hi'n debyg i'r Mitshelin Man.
'Reit, Anje,' medde hi, 'beth am ddechre'r sbri?'
A'th 'y nghoese i'n grynedig a gwan.

Nawr, rwy wedi whare rygbi,
Pob safle o'r asgell i'r prop,
Ond nawr rown i'n newid posishons
Bob munud, a hynny'n ddi-stop.

O'dd e jyst fel meri go rownd yn y ffair,
O'dd 'y mhen i'n dechre troi,
A 'na i gyd own i'n glywed bob eiliad
O'dd Angela'n gweiddi, 'Gwd boi!!'

Tra'i whâr fel rhyw Ledi Chatterley fawr
Yn gweiddi'n uchel a chroch,
Pob rhan o'i chorff hi'n woblo
Yn gwmws fel jeli mawr coch.

O'dd hyn yn well na Butlins,
Disneyland a Glan-llyn,
Ond pan waeddodd y ddwy,
'Wnawn ni'r "Wall of Death",'
Fe droiodd 'y ngwyneb i'n wyn!

Af i ddim i fanylu gormod nawr,
Fe adawa i'r dychmygu i chi,
Ond ar ôl awr a hanner
O'dd Glangwili'n 'y ngalw i.

A dyna i ble yr aethon ni whap,
Ni'n tri yn styc yn sownd,
A gwae ac och ac embaras
Pan ddaeth yr ambiwlans rownd.

O'dd isie craen i'n codi
A'n rhoi ni yn y cefen,
Meri yn gwenu fel cath mewn llath,
Ac Angela'n dechre llefen.

'Beth wedan nhw yn y capel
Pan glywan nhw'r hanes brwnt?
Fi fydd testun gwawd y plwy,
O Gwbert lawr i Mwnt!'

Dim ond gofyn wnes i cyn aeth hi'n strach,
Ond mae'r hyn a wnaed wedi'i neud,
Ond gofyn eto ydw i nawr
I chi am beido â gweud!

Y FFEITHIOL

Stori wir am Tad-cu. Ro'dd gan Tad-cu ffrind o Tirdeunaw, sef Wil. Yn yr hen ddyddie fe fydde pawb â thŷ bach ar waelod yr ardd, ac ar adege fe fydde'r drwm gaca yn dod o gwmpas i wacáu'r bwcedi. A dyna beth o'dd gwaith Wil, a dyna pam o'dd e'n ca'l 'i nabod fel Wil Drwm Gaca.

Ro'dd Tad-cu ar ei ffordd adre o'r pwll un dydd, a dyna lle ro'dd Wil ar ochor y stryd, wedi torchi ei lawes hyd at 'i gesel ac yn gwthio'i law i mewn i waelod y drwm ac i ganol y caca.

'Beth ddiawl ti'n neud fan'na?' medde Tad-cu.

A medde Wil, 'Mae nghot i di cwmpo mewn.'

A Tad-cu'n gweud, 'Alli di byth â'i gwisgo'i 'to!'

'Na,' medde Wil, 'Wi'n gwpod 'ny. Sa i'n becso am y got, ond mae'n sandwijis i yn un o'r pocedi.'

* * *

Tad-cu wedyn yn mynd lan i Chwilog ar 'i wylie. Dyna beth fydde ein gwylie ni – mynd lan i Gastell Coed bob blwyddyn. Yno y bydden ni'n helpu i ladd gwair gyda'r ffermwr, Henry Lloyd. Fe wnaethon ni gyrraedd Llandeilo, a Tad-cu ddim yn siŵr shwd oedd mynd i Lambed. Fe agorodd e ffenest y car a gweiddi ar ryw fachan,

'Hoi! P'un yw'r ffordd i Lambed?'

A dyma Mam-gu'n rhoi pregeth iddo fe. 'Paid â gweiddi fel'na ar bobol. Fe fydd y Saeson yn meddwl dy fod ti'n dwp. Dwed, 'Ecsciws mi.'

Mlân â ni am tua hanner awr, a Tad-cu ddim yn siŵr o'r ffordd i Aberystwyth. Unwaith eto, dyma fe'n agor ffenest y car a gweiddi ar rhyw fachan oedd fan'ny. 'Hoi! Ecsciws mi! P'un yw'r ffordd i Aberystwyth?'

* * *

O'dd Huw Ceredig wastad yn ffansïo'i hunan fel garddwr, a nôl yn y saithdege ro'dd ganddo fe'r syniad 'ma o dyfu tomatos allan yn yr awyr agored. Fe flodeuodd y planhigion ac fe ddatblygodd tomatos bach, gwyrdd. Yna fe a'th Huw a'r teulu ar eu gwylie i Symi.

Pan ddath y teulu nôl ymhen pythefnos, y peth cynta wnath Huw o'dd mynd i'r ardd i weld y tomatos. Ac yno, yn hongian ar un o'r planhigion, ro'dd y tomato perta welodd neb eriod. O'dd e'n anferth! Fe alwodd e ar Margaret 'i wraig ac ar y plant i weld y tomato gwyrthiol yma, a o'dd wedi tyfu yn yr awyr agored. Fe dynnodd e'r tomato a'i roi e mewn sandwijis.

Wedyn fe ddechreuodd feddwl pam mai dim ond un tomato o'dd wedi tyfu? Doedd y lleill yn ddim byd mwy na marblis bach gwyrdd. Ac fe a'th e mas ar ôl brecwast i edrych yn fanylach. A dyma fe'n gweld olion edau fach ddu ar goes y planhigyn. A dyna pryd sylweddolodd e mai fi o'dd wedi prynu'r tomato mwya allen i ei ffeindio yn y siop a'i glymu fe wrth goes un o'r planhigion. Wnath e byth fadde i fi!

* * *

Pan o'dd Ems (Emyr Huws Jones) yn gwitho yn siop lyfrau Taflen yng Nghaerdydd, fe hales i lythyr ato fe o dan enw rhywun arall. A fe wnath e gredu bod e'n llythyr iawn nes iddo fe ddod bron i'r frawddeg ola. Dyma'r llythyr, wedi'i gyfieithu:

8 Heol Isaf Uchaf,
Yr Eglwys Newydd,
Caerdydd.

4:5:88.

Annwyl Syr,

Rwy'n bensiynwr mewn gwth o oedran, a'r unig ddiddordeb sydd yn fy mywyd i bellach yw hanes fy mhobol, sef y Genedl Gymraeg.

Er nad ydwyf yn siaradwr Cymraeg roedd fy ngwraig, a fu farw mor drist y llynedd, yn rhugl yn yr iaith, a phleser mawr i mi fyddai gwrando arni hi'n canu'r hen emynau yn ei llais peraidd wrth iddi fynd o gwmpas ei gwaith yn y gegin. Mae'r atgof, hyd yn oed nawr, fel petai'n dod â dagrau i'm llygaid.

Er hynny, nid fy nhristwch o'r cof amdani yw'r

rheswm dros i mi ysgrifennu, ond yn hytrach hyn. Rhaid yw i mi geisio dileu'r atgofion amdani, a phenderfynais drwytho fy hun yn hanes a threftadaeth ein diwylliant Celtaidd.

Byddwn yn ddiolchgar petaech yn anfon ataf restr o unrhyw lyfrau sy'n cynnwys gwybodaeth am Derfysgoedd Rebeca, yn arbennig felly yn ardal Caerfyrddin. Hefyd unrhyw lenyddiaeth parthed Gwrthryfel y Siartwyr cyn 1846.

Hefyd, os yn bosibl mewn unrhyw ffordd, a fyddech cystal ag anfon unrhyw luniau o ferched ysgol chweched dosbarth gyda bronnau mawr, yn cael eu chwipio gan filwyr adran y paratrŵps Ariaidd gyda phidynnau unionsyth curiedig?

Yr eiddoch yn gywir,

Evan Davies.

O.N. Peidiwch â mynd i ormod o drafferth wrth chwilio am y llyfrau ar Rebeca nac ar y Siartwyr.

Fe wnath Emyr Wyn ofyn i fi unwaith i anfon llythyr at aelodau o'r Cynulliad yn gofyn am eu cefnogaeth i addysg Gymraeg. Fe anfones i lythyr yn ôl at Emyr yn esbonio beth own i wedi neud, ynghyd â chopi o'r llythyr wnes i ei anfon at ddau o'r aelode.

Fel hyn a'th y llythyr at Emyr:

Annwyl Emyr,

Amgaeaf gopi o'r llythyr anfonais i'r ddau hyn, sef Glyn Davies AC a Jane Davidson AC. Gobeithio y bydd yn ffafriol i'r achos ac yn help i gadw'r iaith yn fyw a chreu cydymdeimlad tuag at ein treftadaeth.

Yr eiddoch,

Dewi.

(Eich cyfaill mynwesol yn yr argyfwng ieithyddol presennol.)

Annwyl Jane a Glyn,

Ar ran llawer o bobl ffanatical yng Nghymru, rwy'n ysgrifennu atoch chi'r ******* i FYNNU bod ein plant yn cael eu haddysg yn Gymraeg – NEU bydd ****** TRWBWL! Mae gennym ni gontacts yn Al Qaeda, Mossad, y PLO ac S4C. Os NA chawn ni beth ry'n ni eisie, RYDYCH CHI YN Y ****** CAC! ! *Kneecaps. Torture.* Bod yn westeion ar raglen Jonsi etc, etc.

O.N. Oes siawns am luniau ohonoch chi wedi eu llofnodi? Rhai noeth, efallai?

Fe gafodd Emyr Wyn gathod bach nes iddo fe ddeall mai sbort o'dd y cyfan, a finne heb anfon y llythyr.

* * *

Ond mae 'na bobol sy wedi whare jôcs arna i. Tua blwyddyn ar ôl i fi ddechre ffilmio *Rownd a Rownd* yn y gogledd, rown i'r tu fas i dafarn y Gardd Fôn pan ddath ymwelydd o Sais i siarad â fi. Edmygu'r olygfa o'dd e, a finne'n cytuno ag e ei bod hi'n olygfa odidog. Ac fe es i mlân i weud fod yr olygfa'n ca'l ei gwastraffu ar y gogledd. 'Yn y de ddyle hi fod,' medde fi, yn Saesneg.

A dyma lais o'r tu ôl i fi'n gweiddi, 'Yn y de ddylet tithe fod hefyd, y ******!'

Ffrind i fi, Dafydd G o'dd e, a finne ddim yn gwbod bod e yno.

* * *

Fel un sydd wrth ei fodd yn whare golff, fy arwr mawr i yw Seve Ballesteros. Ac un dydd, yng nghwmni Huw Eic yng Nghlwb Golff St Pierre, lle ro'dd Huw yn sylwebu, pwy o'dd yno yn y stafell fwyta ond Seve ei hunan. Fy arwr! A dyma Seve yn dod yn syth ata i a siarad â fi! Allwn i ddim credu'r peth. Isie gwbod beth o'dd y cawl o'dd e, a dyma fe'n gofyn, yn 'i Susneg bratiog, 'Chwat ith ddy thŵp?'

Fe wnes i wylltio gymaint fel i fi ei ateb e, 'Theleri!'

ER COF

Mi es i lan i'r fynwent ddoe
Lle rown i'n arfer cwrdd,
Mi gloddies i dy gorff di lan
A thorri'th law i ffwrdd.

Rwy'n teimlo'n hollol hapus nawr,
A'r rheswm ydi hyn –
Caf eistedd yma heno
A dal dy law di'n dynn.

SIÔN CORN

O'dd Siôn Corn wedi danto,
Yn ffed-yp ar fod yn neis.
Am 'i waith da bob Nadolig
Beth o'dd e'n ga'l? Mins peis!

Neu gacen fach sych heb gyrens
A glasied bach o lath.
Beth yffach o'dd pobol yn feddwl?
O'dd e'n dishgwl fel blwmin cath?

Ac felly, un Nadolig
Fe benderfynodd e ga'l pawb nôl,
Ac os nagon nhw'n licio'u presante,
Fe gaen nhw'u hwpo nhw lan … y simne.

Yn gynta, ar gyfer y plant i gyd,
O'r ddinas i'r pentrefi seclwded,
Fe halodd e fatri bach mewn bocs
Gyda'r geirie 'Toys not included'.

Ac yna, i'r actor Emyr Wyn,
Sy'n fytwr mawr chwedlonol,
I'w helpu fe mas ar ôl cinio'r ŵyl
Fe halodd ben-ôl ychwanegol.

Y nesa ar yr agenda
O'dd gelynion mwya Cymru,
Ac i'r Inglish Rygbi Ffwtbol Tîm
Halodd lun tin Graham Henry.
(Wps! Llun tîm Graham Henry!)

Ac wedyn i Radio Cymru,
Sy mor llawn o siarad gwag,
(Y rhan fwya ohono fe'n Saesneg),
Fe halodd eiriadur Cwmrâg.

A beth yw'r enw gawn yma,
Hanner ffordd i lawr y list?
Rod Richards – fe gaiff e OBE –
Mae'n rhaid fod rhen Santa'n …
wedi yfed gormod.

A rhywbeth bach i insomiacs y byd,
Mae 'na filoedd, wyddoch chi,
Tabledi cysgu? O na, na,
Casét Digidol Es Ffôr Sî.

Mae 'na focs o dabledi hefyd fan hyn
I bobol sy lot yn rhy drwm,
Na, nid i'r Telitybis, glei,
Ond i actorion *Pobol y Cwm*.

Ond alle Santa ddim bod yn rhy gas,
Doedd e ddim yn greulon i gyd,
Beth wnaiff e roi i Gymru fach
Y tro nesa? Cwpan y Byd!

Y BYD CREFYDDOL

Roedd y Pab yn sâl, a fe ddwedodd ei feddyg wrtho fe fod bod heb fenyw yn fygythiad i'w fywyd e. Fe awgrymodd y doctor y dyle'r Pab, felly, gael rhyw bob dydd gyda menyw, neu fe wnai e farw. Roedd y Pab, wrth gwrs, yn llwyr yn erbyn y syniad. Ond gan fod hyn yn fater o fyw neu farw, fe gytunodd.

'Os o's rhaid i fi, fe wna i fodloni – ond mae tair amod,' medde fe.

'Beth yw'r amode?' gofynnodd y doctor.

'Mae'n rhaid ei bod hi'n Gatholig, mae'n rhaid ei bod hi'n dod o'r plwy hwn. A mae'n rhaid i'r cyfan fod yn gyfrinachol.'

'Iawn,' medde'r doctor. 'Fe alla i ddeall hynna.'

Ond wrth i'r doctor fynd mas, dyma'r Pab yn gweiddi arno fe, 'O, un peth arall. Alli di ffeindio un â bronne mawr?'

Roedd yr efengylwr 'ma'n aros mewn gwesty. Ac ar ôl bod wrthi drwy'r prynhawn yn pregethu tân a brwmstan, fe aeth e nôl i'w stafell wely. Wrth ochor y gwely, wrth gwrs, ro'dd y Beibl Gideon. Fe gydiodd yr efengylwr ynddo fe a dechre edrych drwyddo fe.

Yna fe aeth e lawr i'r bar ac archebu gwydred o ddŵr a dechre sgwrsio â'r barmêd. A dyma fe'n ei gwahodd hi nôl i'w stafell i'w bendithio hi. Cyn hir fe wnaeth pethe ddechre poethi, a mewn â nhw i'r gwely.

'Odych chi'n meddwl fod hyn yn iawn?' gofynnodd y barmêd.

'Odi, fy merch i,' medde'r efengylwr. 'mae e'n ysgrifenedig yn y Beibl.'

A dyma hi'n gweud, 'Dw i ddim wedi clywed am hynna yn y Beibl erioed. Ble mae e'n gweud hynna?'

A dyma'r efengylwr yn codi'r Beibl Gideon o'dd wrth ochor y gwely a throi at y tu mewn i'r clawr. Yno, wedi ei sgrifennu mewn beiro roedd y geirie, 'Mae'r barmêd sy'n y bar lawr stâr yn garantîd.'

* * *

Fe aeth y bachan yma i mewn i'r blwch cyffesu.

'O Dad,' medde fe, 'Rwy wedi cael rhyw gyda phâr o efeilliaid deunaw oed sy'n nimffomeniacs, a hynny bob nos ers pythefnos.'

'Ofnadwy!' medde'r Offeiriad. 'Pa fath o grediniwr Catholig wyt ti?'

'Dw i ddim yn Gatholig,' medde'r bachan.

'Wel, pam gweud hyn wrtha i, felly?'

'Diawl,' medde'r boi, 'dw i'n gweud wrth bob diawl wela i!'

* * *

Fe a'th y bachan 'ma mas i Affrica fel cenhadwr. Fe o'dd yr unig ddyn gwyn yn y pentre. Fan'ny buodd e am flynyddodd yn dysgu'r llwyth i sgrifennu a darllen ac yn pwysleisio peryglon rhyw cyn priodi a chael rhyw y tu allan i briodas. Ond un dydd fe roddodd un o'r menywod enedigeth i fabi gwyn. Fe halwyd y cenhadwr o flân pennaeth y llwyth.

Medde'r pennaeth, 'Rwyt ti wedi bod yn pregethu yn erbyn y pechod o gael rhyw y tu fas i briodas am flynyddodd. Ond ti yw'r unig ddyn gwyn sydd yn y pentre, a nawr ma un o'n menywod ni wedi ca'l babi gwyn. Be 'wedi di am hynna?'

'Mae e'n gallu digwydd,' medde'r cenhadwr. 'Ma albinos yn bodoli. Edrych di ar y defed 'co fan'co. Maen nhw i gyd yn wyn ond am un ohonyn nhw. Mae 'na un ddafad ddu yn eu canol nhw.'

A dyma'r pennaeth yn mynd â'r cenhadwr i'r naill ochor a sibrwd yn 'i glust e.

'Iawn. Beth am i ni ddeall ein gilydd? Paid ti â gweud dim am y ddafad. Weda inne ddim byd am y babi.'

* * *

O'dd y boi yma'n dringo Grib Goch, a fe lithrodd e. A dyna lle roedd e'n hongian o dop y graig a miloedd o droedfeddi odano fe. A dyma fe'n gweddïo.

'O, Dduw,' medde fe, 'achub fi.'

A dyma lais yn dod lawr o'r awyr. 'Fy machgen

i, gwranda arna i. Gollwng dy afael a gad dy hunan i ddisgyn. Does dim i'w ofni. Fe wnei di gyrraedd y gwaelod yn holliach.'

'Beth? Gollwng fy hunan i ddisgyn i'r gwaelod?'

'Ie, fy machgen i.'

'A bydda i'n holliach?'

'Byddi, machgen i.'

'Duw y'ch chi, felly?'

'Ie machgen i, fi yw dy Dduw di.'

A'r dringwr yn ateb, 'Does neb arall yn digwydd bod lan fan'na gyda chi, oes e?'

Roedd y bachan 'ma wedi ca'l y jobyn o beintio nenfwd yr eglwys Gatholig. A dyna lle ro'dd e, yn gorwedd ar ei gefen yn edrych lan ar y nenfwd ac yn peintio a pheintio. Ro'dd e'n teimlo'n ddiflas pan gerddodd menyw fach mewn a dechre gweddïo. Fe feddyliodd y bachan nawr y câi e dipyn o sbort. A dyma fe'n galw lawr arni,

'Hei, ti lawr fan'na. Fi yw Iesu Grist, ac rwy'n siarad â ti'n bersonol.'

A'r fenyw fach yn gweiddi nôl. 'Hei, ti lan fan'na! Caua dy ben! Wi'n fishi'n siarad â dy fam!'

* * *

Roedd babi'n cael ei fedyddio, a dyma'r tad balch yn ei roi e ym mreichie'r offeiriad.

'Beth yw enw'r bachgen bach?' gofynnodd yr offeiriad.

'Merch yw hi,' medde'r tad. 'rwyt ti wedi gafel yn 'y mys bawd i.'

* * *

Roedd Wil yn 75 mlwydd oed pan benderfynodd e ddechre cadw'n ffit drwy gerdded. Fe ddechreuodd e drwy gerdded pum milltir y dydd, a chyn hir roedd e'n edrych fel bachan hanner cant oed. Fe gwrddodd e â hen ffrind, a phrin bod hwnnw'n 'i nabod e.

'Ti'n edrych yn ffantastic,' medde fe.

Gan fod pethe'n mynd mor dda, fe benderfynodd Wil ymuno â Chlwb Cadw'n Iach. Yn fuan ro'dd e'n cerdded pum milltir y dydd ac yn ymarfer yn y gampfa bedwar diwrnod yr wythnos. Erbyn hyn ro'dd e'n edrych fel bachan deugen oed. Fe gwrddodd e â hen gariad, ac ro'dd honno'n ei cha'l hi'n anodd ei nabod e, gan 'i fod e'n edrych mor ifanc.

'Ti'n edrych yn ffantastic,' medde hi.

Roedd Wil nawr mor hyderus, fe ymunodd e â Chlwb Senglau, lle dechreuodd e ddawnsio disgo. Erbyn hyn roedd e'n cerdded pum milltir y dydd, yn ymarfer yn y gampfa bedwar diwrnod yr wythnos ac yn dawnsio dair noson yr wythnos. Ac roedd pawb yn gweud ei fod e'n edrych yn wych.

'Ti'n edrych yn ffantastic,' medde pawb.

Cyn hir roedd Wil yn edrych fel bachan deng mlwydd ar hugain. Fe gwmpodd e mewn cariad â merch un ar hugain oed ac fe briodon nhw. Fe aethon nhw ar eu mis mêl i Efrog Newydd gan aros yn yr Hilton, ar y degfed llawr. Roedd Wil mor hapus fel iddo fe benderfynu loncian i'r siop agosa i brynu shampên. Bant ag e, gan redeg lawr grisiau'r deg llawr, ond wrth iddo fe groesi'r stryd fe gafodd ei fwrw gan lori ac fe'i lladdwyd e.

Fe a'th Wil yn syth i'r Nefoedd, ac wrth iddo fe gyrraedd y Porth Sanctaidd fe ddaeth Duw i gwrdd ag e. Ond do'dd Wil ddim yn hapus.

'Gwranda, Dduw,' medde fe, 'pam wnest ti hyn? Pam 'y nghipio i nawr? Hwn oedd diwrnod hapusa mywyd i.'

Fe edrychodd Duw yn syn arno fe. 'Wil,' medde fe. 'Wil, ti yw e? Diawch, wnes i ddim dy nabod ti. Ti'n edrych yn ffantastic!'

GEIRIAU OLA COFIADWY

‘Dyw e ddim yn *edrych* fel ’i fod e’n cnoi.’

‘Ffit? Dangosa i i ti *ffit*, gwd boi!’

‘Af i jest i bipo dros y graig …’

‘Wi’n cofio bod yn y coleg ’da’ch gwraig.’

‘Wrth gwrs bo fi’n gwbod popeth am drydan.’

‘Yffach, cariad, dyna beth *yw* pen-ôl llydan.’

‘Hei, del, shwt hoffet ti afel yn hon?’

‘I say, Taffy – how did Wales get on?’

‘A beth ma’r botwm bach coch ’ma’n neud?’

‘I fod yn onest, o’dd dy whâr yn well reid …’

‘Jest un bach arall cyn stop tap … ’

‘Meic Tyson? Hei pwff, ma dy focso di’n crap.’

‘Wi ’di nofio ers blynydde – af i reit rownd y bae.’

‘Ma honna’n debyg i wili – ond jawl, lot yn llai …’

Y BYD GOGLEISIOL

Roedd y cwis *Mastermind* yn cael ei gynnal yn Listoonvarna yn Iwerddon. Yn y gader yn wynebu John Humphries ro'dd cyn-aelod o'r IRA. Ei bwnc arbenigol e o'dd Hanes Gwrthryfel y Pasg 1916. A dyma'r holi'n dechre.

'Enwch un o lofnodwyr Datganiad 1916 a gafodd ei ddienyddio.'

Ar ôl meddwl tipyn, dyma Pat yn ysgwyd ei ben a gweud, '*Pass*.'

'Ail gwestiwn. Pwy a'th o fod yn filwr yn y Gwrthryfel i fod yn Bennaeth Staff Byddin Iwerddon?'

Dyma Pat yn meddwl yn ddwys eto cyn gweud, '*Pass*.'

'Cwestiwn nesa, pwy o'dd y fenyw a gafodd ei dedfrydu i farwolaeth yn dilyn y Gwrthryfel, ond a gafodd garchar yn lle hynny?'

Unwaith eto, dyma Pat yn meddwl yn ddwys, cyn ateb, '*Pass*.'

A dyma lais o'r cefn yn gweiddi, 'Da iawn ti, Pat. Paid â datgelu dim i'r diawled!'

* * *

Rown i yn Nhan-y-groes un diwrnod ac fe weles i Prins Charles. Roedd e'n gwisgo het croen llwynog. Ar 'i ffordd i Steddfod Aberteifi oedd e ac fe wnes i ofyn iddo fe pam oedd e'n gwisgo het croen llwynog?

A dyma fe'n gweud mai ei fam oedd wedi gneud iddo fe ei gwisgo hi.

'Fe wedes i wrthi mod i mewn penbleth beth i'w wisgo,' medde fe. 'A dyma hi'n gofyn i fi ble own i'n mynd. Ac fe wedes i "Aberteifi." A dyma hi'n ateb, "Wear the fox hat."'

⋆ ⋆ ⋆

Ro'dd y Tywysog Charles yn drifo'i Land Rover tuag at 'i gartre newydd, Llwyn y Wermod ger Llandyfri pan hitiodd e gi defed cymydog a'i fflato fe. Mas ag e, a'i ofid e'n fawr. Beth o'dd e'n mynd i neud? Gyda hynny, dyma hen wrach yn ymddangos. Ma gwrachod yn gyffredin yn ardal Llandyfri. O'dd hon yn ddisgynnydd i Feddygon Myddfai.

'Be sy'n bod?' gofynnodd y wrach.

'Wi wedi drifo dros y ci 'ma, a dw i ddim am ga'l enw drwg,' medde Charles. 'Oes 'na rwbeth alli di ei neud i'w ga'l e nôl yn fyw, gan dy fod ti'n wrach?'

Fe edrychodd y wrach yn fanwl ar weddillion y ci, yn fflat fel pancwsen. 'Dyw fy ngallu i ddim ar ei ore heddi,' medde hi. 'Mae'r lleuad yn wan ar hyn o bryd. Fe allen i ga'l y ci nôl yn fyw, ond fydde fe'n dda i ddim i neb. Os rhywbeth arall alla i neud i ti?'

'Wel, falle bod 'na,' meddyliodd Charles. 'Beth am 'y ngwraig i, Camilla? Alli di 'i gneud hi'n ifanc ac yn bert?'

Dyma'r wrach yn meddwl am sbel cyn ysgwyd

’i phen. ‘Weda i wrthot ti beth. Gad i fi ga’l golwg arall ar y ci ’na.’

* * *

Fe alwodd y Cardi yma yn y banc yn Aberaeron a gofyn am fenthyg £200 am chwe mis. ‘Wrth gwrs,’ medde’r rheolwr, ‘ond beth allwch chi ei gynnig fel gwarant i sicrhau y byddwch chi’n talu’r arian nôl?’

‘Mae gen i gar Rolls Royce,’ medde’r dyn. ‘Dyma’r allwedd. Fe gewch chi gadw’r car nes gwna i dalu nôl.’

Dyma’r rheolwr yn cymryd yr allweddi. Chwe mis yn ddiweddarach, ro’dd y Cardi nôl, ac fe dalodd ddau can punt i’r rheolwr, ynghyd â deg punt o log. Ac wrth roi allwedd y car nôl iddo fe, dyma’r rheolwr yn gweud. ‘Un peth sy’n fy nrysu i yw hyn. Pam mae rhywun fel chi, sy’n berchen ar Rolls Royce, yn gorfod gofyn am fenthyg £200?’

‘Roedd yn rhaid i fi fynd i Ffrainc am chwe mis,’ medde’r dyn. ‘Shwd arall fedren i storio Rolls Royce am chwe mis am £200?’

* * *

Roedd dau Gardi – ffermwyr – yn sgwrsio yn y Talbot yn Nhregaron. A dyma un yn gweud wrth y llall: ‘Diawch, meddylia nawr, ’tait ti’n ennill dwy filiwn o bunne, be wnaet ti â nhw?’

‘O,’ medde’r llall, ‘fydden i’n rhoi miliwn i ti.’

A medde'r cynta eto, 'A meddylia nawr, 'tait ti'n ennill dau Rolls Royce, be wnaet ti?'

'O,' medde'r llall eto, 'fydden i'n rhoi un ohonyn nhw i ti.'

A medde'r cynta eto, 'A meddylia di eto, beth 'tai dwy iâr gen ti?'

'Hei,' medde'r llall, 'bygra bant. Ti'n gwbod bod ieir 'da fi!'

* * *

Dau Gymro'n hedfan i Efrog Newydd. Roedd un ychydig yn fyddar. A dyma'r capten yn rhoi tipyn o wybodeth i'r teithwyr. 'Wel, mae hanner cant y cant o bobol Efrog Newydd yn diodde o AIDS.'

'Be wedodd e?' medde'r boi byddar.

'O,' medde'r llall, 'ma hanner pobol Efrog Newydd yn diodde o AIDS.'

Tua hanner awr yn ddiweddarach dyma'r capten yn gweud eto, 'Mae hanner cant y cant o bobol Efrog Newydd yn diodde o broncitis.'

'Be wedodd e nawr?' medde'r bachan byddar eto.

A'i fêt e'n ateb, 'Os llwyddi di i fynd i'r gwely da rhywun, gwna'n siŵr 'i bod hi'n peswch.'

Fe gafodd Cymru ei astronôt cynta. Richard Jones oedd 'i enw fe. O'dd e'n barod nawr i fynd lan i'r gofod o Cêp Carnarfon. Ond ar y funud ola fe wrthododd e. 'Alla i ddim,' medde fe, 'mae gormod o ofon arna i.'

A dyma'i wraig e'n gweud, 'Beth amdanon ni'r teulu? Fe fydd pobol yn wherthin arnon ni!'

'Na, alla i ddim mynd.'

'Beth am Gymru? Gwna fe dros Gymru?'

'Na, mae gormod o ofan arna i.'

Felly dyma'i wraig yn gwisgo'i siwt ofod e. Draw yr a'th hi at y roced, mynd mewn iddi a bant â hi i'r gofod. Ond fe a'th rhywbeth o'i le. A lawr y dath y roced. A phan ddihunodd hi, yno ro'dd hi, yn gorwedd ar wely yn Ysbyty Gogledd Cymru, a meddyg yn rhwbio'i bronne. Mewn gwewyr, dyma hi'n gweiddi am ei gŵr, 'O, Dic! Dic!'

A'r doctor yn ateb, 'Paid â becso am dy bidlen, ar hyn o bryd ry'n ni'n treial cael dy geillie di nôl i'w lle.'

★ ★ ★

Roedd dau fachan o Birmingham yn cerdded ar hyd prom Aberystwyth. A dyma un yn cydio yn ysgwydd y llall a'i dynnu fe nôl.

'Bydd yn ofalus,' medde fe, 'fe fues ti jyst â camu mewn caca ci. O leia, mae e'n edrych fel caca ci.'

Dyma'r llall yn gwthio'i fys i mewn i'r stwff a

gweud, 'Mae e'n teimlo fel caca ci, beth bynnag.' A dyma fe'n dal ei fys o dan ei drwyn, ac yna'n ei wthio fe i'w geg.

'Diawl, ti'n iawn. Mae e'n gwynto fel caca ci *a* mae e'n blasu fel caca ci. Lwcus na wnaethon ni gamu arno fe.'

BREUDDWYD

Fe ges i freuddwyd neithiwr –
Y rhyfedda un erioed,
Fi o'dd brenhines Cymru,
A'm gŵr i – Gerallt Lloyd…
Glyn Wise o'dd yr Archdderwydd,
Chi'n gwbod o *Big Brother*
A phleser o'dd gweld Dic Jones
Mewn tiara a phyrls fel Cwîn Myddyr.

Roedd Plaid Cymru yn codi marinas,
Dafydd Iwan yn casglu'r rhent,
Pobol y Cwm yn ddifyr,
A thŷ haf 'da phob Cymro yn Kent,
Y London Eye yn mynd i'r Gogs,
Ac yn troi yn 'Bangor Aye',
George Bush yn rhedeg yr Orsedd,
Ac yn dechre bob tro 'da 'Shwmai'.

Bwrdd yr Iaith yn prynu gwyliau
Gyda chwmni Thomas Cook,
Sali Mali'n rhedeg *sauna*,
Un *dodgy*, 'da Jac y Jwc.
Cyhoeddi y *Cymro* yn Saesneg,
Dan ofal Lembit Opec,
Sian Lloyd yn *topless* bob dydd ar *page three*,
Page four a *page five* – fflipin ec!

Radio Cymru o'r diwedd
Yn chware dim ond recordiau Cymraeg,
Ant a Dec yn rhedeg S4C
A Wil Cwac Cwac yn troi'n ysgolhaig,
Anne Robinson, 'rhen gariad
Yn Gadeirydd Cymdeithas yr Iaith
A fi'n cael fy urddo'n Arglwydd,
Lord Pussy o Dresaith.

Ai wythnos yng Nghymru o'dd hon,
A'i dyfodol yn mynd i nunlle,
Neu fytais i ormod o gaws yn rhy hwyr,
Nes troi y freuddwyd yn hunlle?

Y BYD DEIETEGOL

Ro'dd y pâr 'ma o Dregaron yn bwyta yn y Savoy yn Llunden. Pan osodwyd y bwyd o'u blaen nhw, dyma'r gŵr yn bwyta tra bod 'i wraig e jyst yn watsho. Ymhen tipyn dyma'r wêtyr yn dod draw.

'Oes 'na rywbeth o'i le ar y bwyd?' medde fe wrth y wraig.

‘Na,’ medde hi. ‘Rwy jyst yn disgwl i’r gŵr orffen.’

Fe edrychodd y wêtyr arni a gweud, ‘Ond mae’ch bwyd chi’n oeri. Sdim rhaid i chi ddisgwl i’ch gŵr orffen cyn i chi ddechre.’

‘Oes,’ medde hi. ‘Ei dro fe heddi yw gwisgo’r dannedd gosod gynta.’

* * *

Roedd pâr arall yn bwyta mewn gwesty crand. Yn sydyn fe sylwodd y weinyddes fod y dyn yn sleido lawr ei gader yn ara bach nes iddo fe fynd o dan y ford. Wnaeth y fenyw ddim cymryd unrhyw sylw ohono fe. A dyma’r weinyddes yn sylwi ac yn dod draw a gweud, ‘Madam, esgusodwch fi. Ond mae’ch gŵr chi wedi sleido o dan y ford.’

Fe drodd y fenyw ati a gweud, ‘Na, dyw *ngŵr* i ddim wedi sleido o dan y ford. Mae ngŵr i newydd gerdded mewn ac mae e’n cerdded tuag aton ni!’

* * *

Roedd y bachan yma mewn caffi wedi gofyn am gawl. A dyma’r wêtyr yn dod, gyda’i fys bawd i mewn yn y cawl.

‘Hei,’ medde’r cwsmer, ‘be ddiawl chi’n feddwl chi’n neud? Mae’ch bawd chi yn ’y nghawl i!’

‘Wi’n gwbod hynny,’ medde fe. ‘Mae e’n crawni,

ac mae'r doctor wedi gweud wrtha i am ei gadw fe'n dwym ac yn wlyb.'

'Wel, os hynny' medde'r cwsmer yn gas, 'pam na wnewch chi ei wthio fe lan eich pen-ôl?'

'O,' medde'r wêtyr, 'wi'n gwneud hynny pan fydda i ar ben 'yn hunan yn y gegin.'

* * *

Roedd Twm, Dai a Ianto yn gosod to newydd ar adeilad y DVLA yn Nhreforys. Un dydd, a'r tri wedi stopo i fwyta'u cinio, dyma Twm yn agor ei focs.

'O na, dim brechdane jam heddi eto,' medde fe. 'Brechdane jam bod blincin dydd. Os ca i frechdane jam fory 'to, fe fyddai'n neidio lawr o ben y to,' medde Twm.

Dyma Dai'n agor 'i focs bwyd, a hwnnw 'fyd yn conan. 'O na,' medde fe, 'brechdane wy. Dyna beth wi'n ga'l bob dydd. Os ca i frechdane wy fory eto, fe wna i neidio gyda ti.'

Tro Ianto oedd hi nesa. Dyma fe'n agor i focs bwyd. 'O diawl,' medde Ianto. 'Brechdane caws heddi eto. Dyna beth wi'n ga'l bob dydd. Caws, caws a blydi mwy o gaws. Os ca i frechdane caws fory to, fe wna inne neidio gyda chi.'

Y diwrnod wedyn, fe eisteddodd y tri ar ben y to i agor eu bocsys bwyd. Brechdane jam oedd ym mocs Twm. Fe gododd ar 'i draed a fe neidiodd bant. Ym mocs Dai ro'dd brechdanau wy. Fe gododd ynte a neidio bant o'r to. A dyma Ianto'n agor ei focs. Ie, brechdanau caws. Ac fe neidiodd yntau o ben y to.

Fe gladdwyd y tri yn yr un angladd, yn yr un bedd gan eu bod nhw'n fêts mawr. A dyna lle roedd y tair gweddw yn ceisio cysuro'i gilydd ar lan y bedd.

'Tawn i ond yn gwbod nad oedd e'n leicio jam,' medde gwraig Twm.

'A finne,' medde gwraig Dai. 'Wyddwn i ddim nad oedd Dai'n leicio brechdan wy.'

A dyma weddw Ianto'n gweud, 'Mae'r peth yn ddirgelwch llwyr i fi. Ro'dd Ianto bob bore'n gwneud 'i frechdane 'i hunan.'

* * *

Roedd 'na fachan o'dd yn astudio bod yn gonsuriwr. Ac un noson, ar ddamwain, fe droiodd e'i wraig a'i blant yn *three-piece suite*. Fe gawson nhw fynd i'r ysbyty mewn lori gelfi. A'r noson honno fe ffoniodd e i ofyn shwd oedden nhw. A'r ateb gafodd e oedd, 'Cyffyrddus.'

CRICED

O'dd Dai yn ffansïo Brenda whâr Wil
(O achos maint 'i 'chest')
A dw i ddim yn siarad am seidbord nawr
Ond yn hytrach am bethe Mae West.

O'dd hi wedi bod yn Deiri Cwîn
Ac o'dd ganddi gwpane di-ri,
(A na, nid rhai arian ar silff o'dd y rhain
Ond rhai Welbôn seis 44D)

Ond ro'dd problem fawr gan Brenda,
O'dd hi'n shei (a hithe'n dri deg tri),
Weithie fe wisge hi beddyrs i'r bath,
Ac *ear plugs* yn y toiled yn y tŷ.

Ond jawl, o'dd hi'n leico criced
(A bydde hyn yn arf i Dai),
Gofynnodd i Brenda i alw'n ei dŷ
I watsho'r Test ar nos Iau.

A dyma fel y digwyddodd hi:
Nhw'u dou o flân y tân,
Hithe'n daclus yn 'i dillad dydd Sul
A Dai wedi gwisgo pants glân.

Lloeger yn bowlio i India,
A nhw'n batio'n dda, whare teg.
Ond ro'dd gêm wahanol ym meddwl Dai,
O'dd e moyn sgorio'i *hunan* cyn deg.

Cwpwl o ddrincs a phaced o grisps,
A dechreuodd Brenda ymlacio.
Dath gwên fach slei i wyneb Dai,
Myn yffach, o'dd hon jest â chraco!

Cripiodd yn nes, â'i fraich tu cefn,
A'r llaw arall ar 'i phen-glin;
Ond yn sydyn, fe dwistodd Brenda
A dod yn syth at 'i hun.

Mi gydiodd yn yr ashtrei
A'i dowlu –
WHAM!
BAM!
CLYMP!
A'r unig sgôr gas Dai'r noson 'ny
O'dd '*Out: Bowled middle stump!*'

Mynnwch y gyfres i gyd!

Hefyd yn y gyfres TI'N JOCAN

HIWMOR DAI JONES	£3.95
HIWMOR LYN EBENZER	£3.95
HIWMOR Y CARDI	£4.95
HIWMOR IFAN TREGARON	£3.95
HIWMOR SIR BENFRO	£3.95
HIWMOR PONTSHÂN	£3.95
HIWMOR IDRIS A CHARLES	£3.95
HIWMOR SIR GÂR	£4.95

Am restr gyflawn o lyfrau'r wasg,
mynnwch gopi o'n Catalog newydd, rhad
– neu hwyliwch i mewn i'n gwefan

www.ylolfa.com

i chwilio ac archebu ar-lein.

TALYBONT CEREDIGION CYMRU SY24 5AP
e-bost ylolfa@ylolfa.com
gwefan www.ylolfa.com
ffôn (01970) 832 304
ffacs 832 782